글벗시선 109 이수진 시조집

어머니의 비녀

이 수 진 지음

 도서출판 글벗

어머니의 비녀

이수진 시조집

시의 집을 짓다

 시집 제1집과 제2집이 나올 때까지 몰랐다.
 글이 세상 밖으로 나갈 때는 책임이 따른다는 것을,
 지금도 마찬가지이다.
 그러나 여전히 어렵고 힘들지만, 모아둔 졸작 용기를 내
서 한 권으로 묶는 것이 맞는다는 생각에 첫 번째 시조집
발간합니다.

 휘어진 마음을 바로잡으려
 가슴 깊숙이 먹줄 긋고
 날 선 자음 모음을 둥글게 깎는다

 터를 고르듯이
 앙상한 언어에 살 붙여 기둥을 세우고
 눈비 가려줄 지붕을 씌우는
 건축가처럼 펜을 든다

 거칠고 멍든 갈라진 시어

곱게 다듬어 초심을 덧입힌다

아직 마무리 못한 문짝 달듯이
저 밑바닥 거미줄 걷어내고
아쉬운 대로 둥글게 한 조각 세운다

아직 미완성된 문살을 끼운다

시의 집을 짓고
또 집을 짓고 싶은 날
― 「시의 집을 짓다」 전문

이 졸시처럼 나만의 시어로 집을 짓고 싶다

2020년 8월

□ 축시

이수진

― 박덕은

하늘이
동녘에 자리할 때부터
시심은 진작부터
가슴속에 싹을 틔웠다

어린 시절
텃밭에 키웠던 순수가
마음의 피를 물들였다

지극한 아빠의 눈길이
일상의 툇마루에서
자전거 위까지
졸졸 따라다녔다

말없이 감싸 주는
엄마의 손길은
늘 대문 열어

햇귀를 받아 안곤 했다

하루는
사랑 고백의 줄기가
지평선에서
하늘금 따라 뻗어 올랐다
푸석한 꽃밭으로
돌아온 뒤부터
새 넝쿨이
장독대를 휘감았다

순탄한 웃음소리
가득 찬 건넌방에는
조화로운 리듬과
감성이 어우러져
춤을 추었다

모처럼 재회한 시심이
때론 물안개처럼
때론 신기루처럼
피어올라 꿈을 덧칠했다

가까스로 다다른

바닷가에
시꽃이 해당화처럼 피어
줄지어 환영해 주었다

이제 잠시
수평선이 놓고 간
정자에 앉아
사색의 잔을 들 차례

고요가 내민
차 한 잔의 향긋함
두 손으로 감싸며
고즈넉이 읊조린다

세상은 아직도
살 만하다고
너무나 여리지만
시인은 여전히
사랑하고 싶다고

차 례

제2부 기다림

제3부 향수

제4부 봄과 외로움

제5부 어떤 사랑

제6부 산사 가는 길

제7부 어머니의 비녀

제1부

그리움

그리움(1)

봄 향기 스쳐가는 길목에 홀로 서서
고운 빛 마음 밭에 소롯이 담았더니
피어난 외로움 송이 가슴 가득 울리네

그리움(2)

붉은 놀 서산마루 수채화 풀어놓고
조각달 걸려있네 애틋함 그 사이로
보고픔 소롯이 안고 연초록빛 피었네

그리움(3)

강가에 홀로 서니 보고픔 사무치고
별 무리 떠다니면 외로움 휩싸이고
어둠 속 휘영청 뜬 달 내 마음 밭 밝히고

그리움(4)

소양호 뱃길 따라 오봉산 끌어안고
물안개 몽글몽글 추억에 낭만 덮네
오늘도 첫사랑까지 물결 위에 누워서

그리움 (5)

저녁놀 드리워진 강둑에 올라서니
강바람 살랑이다 보고픔 피워대고
깨어난 추억 자락이 갈 빛 안고 앞서네

그리움(6)

강가의 흐린 추억 안개로 덮어 두면
설렘은 은빛 날개 숨긴 채 흐느끼네
바람은 저 붉은 열정 식혀 가며 부는데

그리움(7)

산마루 돌고 돌아 임 찾아 걸어온 길
찬바람 매정하게 뒤돌아 앉아 있어
가슴속 못다 한 고백 주절주절 내뱉네

그리움(8)

물안개 피어올라 햇살 결 덮어놓고
수줍은 꽃 한 송이 계절을 거스르며
기슭에 홀로 피어나 붉은 노을 손잡네

그리움(9)

한겨울 시린 눈꽃 활주로 흩날리니
설렘도 피어올라 빈 가슴 채워 주고
말없이 순백의 향기 펄럭이며 서 있네

그리움(10)

숨죽인 엽서 한 장 시간을 곰삭히면
책갈피 추억들이 오월을 매달더니
향기로 꽃등 밝히며 그림자를 세운다

그리움(II)

해 질 녘 황국들이 향수에 젖어 들면
애타게 타는 가슴 초승달 부여잡고
먼 곳에 향기 흩뿌려 빗장 풀며 잠든다

그리움(12)

찬바람 잠이 들면 그대를 잊지 못해
앙다문 그 입술을 햇살에 말려 놓고
첫사랑 가슴 헤집고 들꽃으로 피었다

그리움(13)

멀리서 품고 왔다 그윽한 봄의 향기
언니의 손맛 담긴 나물에 입맛 돋아
며칠간 굶주린 듯이 허겁지겁 채운다

그리움(!4)

어느새 추억 딛고 입맞춤 상상하다
화들짝 놀란 가슴 또다시 침묵 안고
바닷가 철썩 소리에 째각째각 흐른다

그리움(15)

얄미운 저 추억은 계단을 훑고 가고
낯익은 향기들은 통나무에 걸터앉아
노을에 사랑 고백을 어디론가 띄운다

그리움(16)

호떡집 불이 났나 추억이 타오른다
옆집에 고운 미소 불러도 외면한 채
노을이 잰걸음하다 서녘으로 숨는다

자유

쉼 없이 꺼내 놓네 열정의 노랫소리
넘어도 끝이 없네 험준한 고갯길로
오늘도 시련 견디며 희망 향해 달리네

잎이 푸르러 가시던 임이

호숫가 길게 누워 저녁놀 붉게 타면
풀숲에 내려앉네 달무리 일렁일렁
연민의 둥지 만들어 철새들 날아가네

산책(I)

바람결 불어오네 봄 향기 휘감아서
오솔길 풀숲에는 제비꽃 아롱다롱
정겨운 수다삼매경 쉬어가는 빈 의자

할미꽃

산발치 지나가다 솔바람 살랑살랑
가녀린 허리춤에 매달고 쉬어가면
추억향 한아름 안고 붉은 고백 내미네

제2부

기다림

기다림(I)

추억 향 모락모락 피어난 창가에서
봄볕들 내려앉아 보고픔 일렁이면
애틋함 소롯이 일어 바람결에 몸 싣네

기다림 (2)

산마루 붉은 노을 보고픔 입에 물고
휘영청 떠 있는 달 설레임 달래 주네
밤새워 절절함 안고 퍼덕이는 그리움

기다림 (3)

산새들 노랫자락 숲속에 너울대고
목마름 적셔 주네 물안개 계곡 타며
보고픔 가지들 위에 내려앉네 사뿐히

기다림(4)

달빛이 설렘 달궈 여명을 마중하면
여백은 풀잎 위로 추억을 쌓아 놓고
하얗게 물든 그리움 산책길로 나선다

기다림(5)

계절 끝 품고 앉아 하얗게 덧입고서
언 땅을 자박자박 거닐던 감성 자락
시린 맘 애써 떠밀고 그리움을 품는다

기다림 (6)

낯익은 목소리가 오늘은 쉬려는 가
차 한 잔 사 준다는 그 말에 숨죽인다
왜일까 괜한 심통만 투덜대고 서 있다

기다림(7)

남겨진 추억 온기 살포시 품고 앉아
들창문 열어 놓고 봄바람 맞이한다
오늘도 길 터놓고서 사색길로 떠간다

다육이

창가에 꽃화분들 저마다 향 내뿜으면
봄햇살 속삭임들 사뿐히 내려와서
외로움 소롯이 달래 돌돌 말아 앉히네

아직도

꽃잎들 내려앉네 산사의 연분홍빛
사르르 휘날리면 보고픔 일렁일렁
그리움 찾아 떠나네 외로움의 날갯짓

잘 가소서

정든 님 멀리 떠나 마음 밭 잔물지고
되오는 걸음걸음 애틋함 서려 있네
섭섭한 마음 감추려 꽃비 맞고 거니네

동반자(1)

싱그런 향그러움 마음에 피어나고
배시시 웃는 소리 설레며 콩닥 콩닥
수줍음 오롯이 품고 연분홍빛 소르르

동반자(2)

벚꽃의 하얀 설렘 바람에 길 내 주고
산야의 어여쁜 꽃 어느새 시들었나
향기에 입 맞추던 님 그리움만 남겼네

봄비(1)

사랑꽃 살짝 물고 바람결 타고 오네
하느작 걸어와서 뜨거운 열정 풀고
달달한 연서 매달아 흐느끼네 진종일

봄비(2)

연둣빛 붓질하며 가슴에 스민 눈물
우듬지 빗장 풀어 목마름 적셔 놓자
그리움 촉수 세운 채 오도마니 앉았네

봄비 (3)

나목이 계절 벗고 초록빛 돌돌 말면
꽃잎은 설렘으로 열정을 불사르고
추억은 그리움 되어 목마름을 적신다

봄비(4)

미련의 눈물인가 가지에 방울방울
희뿌연 사연 엮어 해맑게 씻어내어
촉촉이 그리움 적셔 애잎들을 앉힌다

봄·봄

산자락 나뭇가지 푸르름 대롱거려
설레임 입에 물고 분주히 터뜨리면
들꽃에 내려앉은 향, 추억 찾아 떠나네

첫사랑(1)

보고픔 마중 나와 흔적 위 흩날리네
해종일 너울대네 그리운 추억 자락
연둣빛 오롯이 안고 기다리는 연민아

첫사랑(2)

언약은 주름진 채 먼지로 헤매더니
하얗게 솟아나서 추억을 말아 놓고
가지 끝 아린 시간도 향그럽게 감싼다

낙산사

돌기둥 상흔 안고 떠난 님 기다리며
해찬솔 잔가지에 연둣빛 꿈 엮으면
연등도 간절함 담아 매달리네 애틋이

홍련암

산자락 피어 있네 해당화 꽃봉오리
붉은 향 흰 물거품 휘감아 내려앉아
절벽 위 애틋함 품고 합장하는 마음밭

보고픔

낯선 곳 홀로 서니 헛헛함 밀려오고
지나는 길손에게 곁눈질 스며들어
바람은 붉은 꽃향기 연신 날려 보채네

제3부

향 수

제삿날

향로에 피어나네 그리움 향기 되어
촛대에 눈물 품고 연민도 태워 버려
정든 님 멀리 떠난 길 불 밝혀서 보내네

고씨동굴

종유석 대롱대롱 그리움 매달고서
애절함 감싸 안고 폭포로 떨어지며
한 맺힌 그날의 흔적 씻으면서 안기네

반딧불이

은달빛 몇 올 뽑아 풀숲에 걸어 놓고
갈바람 나부끼니 강둑에 너울너울
추억 속 불빛 밝히며 낭만 자락 날리네

가을 단상

들녘에 누런 사색 알알이 들어차고
새떼의 날갯짓에 춤추는 그리움아
마음결 절로 흘러나 함박웃음 피었네

아버지(1)

뭐 그리 바쁘셨나 작별의 인사도 없이
긴 여행 고달프게 외로이 떠나간 길
애틋함 남겨둔 발길 무거워서 어쩌나

늦가을에

갈빛은 핀잔하듯 그리움 피워대고
단풍은 흩날리듯 외로움 홀로 안고
노을은 물들이는 듯 삶의 여정 감싸네

바닷가

풀숲에 피어나는 갈바람 살랑살랑
갈매기 모래톱에 보고픔 풀어 놓고
그리움 머무르는 곳 포말만이 휘감네

향수(I)

흰서리 내려앉은 고샅길 긴 그림자
보고픔 덮어놓고 추억을 피워대면
그리움 휘휘 불어와 아릿함만 남기네

향수(2)

하많은* 그리움들 뿔뿔이 흩어져도
닿소리 홀소리로 추억을 감싸 안고
갈대밭 갈바람 모아 가슴속에 채운다

*하많다: 매우 많다(북한 사투리)

향수(3)

빈자리 남겨 두고 푸르름 꾸짖다가
애잔한 눈망울로 노을을 들쳐 업고
달콤히 자장가 불러 쪽잠 한 번 자란다

월영교

호숫가 이른 아침 물안개 피어올라
추억향 끌어안고 쓸쓸히 홀로 서면
그리움 풀어놓고서 손짓하는 월영교

여명

겨울비 추억 말아 창틈에 흩어지고
쓸쓸함 홀로 안고 그리움 피워대도
먼동은 미동도 없이 긴 기다림 되었네

일상

고단한 하루하루 쉰 소리 빚어내며
외로움 돌돌 말아 창가로 몰려와서
아릿함 온몸 휘감고 오도마니 서 있네

나의 일상

은은한 향기 덮어 고단함 잠재우며
보고픔 째각째각 그리움 엮어 가고
추억은 여명을 향해 쉬지 않고 달리네

보름달 아래

문풍지 팔랑팔랑 그리움 두드리고
처마끝 긴 고드름 옛사랑 품고 있네
휘영청 떠나간 추억 시린 미소 품었네.

벚꽃

삭풍에 시달리다 봄향기 잉태하여
수줍게 펼친 순정 가슴에 젖어 들면
꽃잎의 설렘 흩날려 그리움 속 깨운

풀꽃

해질녘 바람 따라 산기슭 올라서서
꽃송이 함초롬히 그리움 토해내다
노을로 소롯이 덮고 숨결 소리 재운다

들꽃

가녀린 꽃잎 위에 바람만 머무르고
목마른 그리움엔 눈길도 주지 않고
진종일 외로움 품고 핏빛 가슴 달랜다

산책길(1)

바람이 꽃잎 물고 시 한 수 읊조리면
길섶의 제비꽃은 수줍게 고개 들고
내리는 산기슭 노을 그리움 길 덮는다

산책길(2)

짙어진 산허리로 오월을 행궈내면
유월은 그 자리에 그리움 피워대고
쓸쓸한 벤치 위에는 외로움만 뒹군다

제4부

봄과

외로움

봄(1)

우듬지 올라서니 추억향 피어나고
설산에 잠재워 둔 그리움 솟구친다
가슴에 속살거리다 촉수 세워 푸르게

봄(2)

샛길에 부는 바람 강가에 머무르다
물오른 꽃나무에 그리움 걸쳐 놓고
하얗게 피어나는 향 기다림에 덧입힌다

봄(3)

언 추억 빗장 풀면 연둣빛 촉수 서고
바람은 허리춤에 그리움 매달고서
꽃잎에 걸터앉더니 느낌표를 남긴다

봄(4)

찬바람 골라내는 가녀린 이파리들
봄향기 그리운지 설레임 올라타고
어젯밤 달 차오르듯 푸른 꿈이 움튼다

봄(5)

바닷가 기웃대다 동백숲 찾아가서
그리움 붉디붉게 향기로 내뿜더니
낭창한 수양버들에 파릇파릇 앉는다

봄(6)

벨소리 울려대서 슬며시 열었더니
설렘의 봄소식에 대문 밖 심쿵심쿵
그리움 꽃등 달고서 예서제서 터진다.

봄(7)

호숫가 굽이마다 솔바람 휘휘 돌면
물결이 보드랍게 미소를 일으키니
아릿한 추억마저도 봉긋봉긋 터진다

외로움(1)

오늘도 퇴근길에 향수에 젖어들어
그리움 터벅터벅 대학로 찾아가니
흐릿한 주점 불빛은 추억향만 피운다.

외로움(2)

가로등 불빛들이 사색을 탐닉하면
달빛은 눈 감은 채 여명에 쓰러지고
고독은 그리움 담아 오도마니 앉았다

외로움(3)

쓸쓸히 다가온 밤 그늘에 잠든 가슴
달리는 낯선 골목 그리움 흔들어도
무지개 쫓아가면서 울먹이며 품는다

외로움(4)

오후에 홀로 앉아 넋두리 풀었지만
때로는 너 없으면 고독도 모르잖니
그 흔적 덮어 버려도 찬바람은 여전히

퇴근길에

한 잔 술 앞에 두고 향수에 젖어 들어
빈 가슴 채우려고 빈 잔씩 들이키자
주점의 아린 불빛에 모여 드는 그리움

매화

아슴한 기억 저편 바람결 일어나면
빈 가슴 채우려고 그리움 줍는 그대
봉긋이 입술 내밀며 달콤한 향 피운다

도산서원(1)

기와집 추녀 끝에 봄향기 피어나고
뒤뜰에 숨죽이던 추억들 고개 들면
연둣빛 풍경 소리도 은은하게 울린다

안개꽃

앙다문 그리움아 향기는 어디 두고
꽃술로 세운 촉수 간절함 돌돌 말아
진종일 홀로 앉아서 긴 보고픔 되었나

자목련(1)

망울진 가지마다 겹겹이 쌓인 추억
자줏빛 설렘으로 살그레 입 맞추며
그리움 홀로 앉아서 붉은 열정 태운다.

자목련 (2)

자줏빛 꽃잎 속에 은밀히 사랑 안고
농익은 유혹처럼 입술을 봉긋 열면
기다림 돌돌 말아서 그리움향 피운다

철쭉

추억을 불태우며 기다림 길나서고
산기슭 붉디붉게 그리움 피어나면
몽우리 툭툭 터지며 꽃향기를 펼친다

청보리

숨죽인 추억 자락 연둣빛 걸쳐 입고
알알이 채워 놓고 음표로 한들한들
오늘도 그리움 안고 옹기종기 서 있다

고속도로

바람이 추억 뚫고 그리움 찾아가면
연미색 치마 입고 가슴은 붉디붉어
환희는 한 올 빛살로 차오르며 달린다

제5부

어떤 사랑

호숫가

산자락 솔향기가 추억을 깨워대면
푸르름 촉수 세워 향긋함 피워 놓고
그리움 잔잔한 물결 일렁이다 눕는다

연민

조각난 반달 품고 외로움 삼킨 가슴
보고픔 감싸 안다 하늘가 토해내며
해종일 그리움 되어 머무르고 있네요

가는 봄

벗꽃의 하얀 설렘 바람에 길 내 주고
산야의 어여쁜 꽃 어느새 시들었나
향기에 입 맞추던 님 그리움만 남겼네

청계사 가는 길

봄꽃은 막 내리고 길거리 한산한데
들녘은 푸릇푸릇 청보리 펼쳐 놓고
오늘도 그리움 발길 묶어 놓고 서 있다

오월

솔향의 노란 속살 바람에 흩날리면
풀숲에 올라앉은 추억은 몸 낮추고
산책길 깍지 낀 약속 노을빛에 새긴다

오월의 밤

산자락 아카시아 하얗게 달빛 품고
꽃향은 흩어져서 길가에 드러누워
애타게 새벽 그리다 냉가슴만 부빈다

어떤 사랑

빛바랜 상흔들이 조용히 걸어와서
가슴에 드러누워 애틋이 눈물짓고
추억은 숨죽이다가 그리움 꽃 피운다

꽃향기

봄바람 이리저리 옷깃을 휘감고서
꽃잎의 음률 타고 그리움 피워대면
연둣빛 열정 품고서 축제 마당 펼친다

풍경 소리

대웅전 단청으로 울림 꽃 피어나서
처마 끝 번뇌 위로 깨달음 툭툭 치면
바람이 간절함 감아 맑은 소리 피운다

밤꽃

야릇한 향내음이 그리움 휘휘 감고
벌 나비 해죽해죽 꽃술에 날아들면
바람은 설렘 업고서 산자락을 누빈다

찔레꽃

조용히 부서지는 아련한 추억 조각
가녀린 줄기마다 가시를 품고 앉아
하얗게 향기 피우며 그리움을 채운다

담쟁이 넝쿨

가녀린 줄기에도 그리움 달고 앉아
손끝은 피로 멍든 외로움 친친 감아
꿋꿋이 오르는 열정 마디마디 새긴다

석류

홀로 핀 외로움이 그리움 피워대면
새파란 추억 자락 선홍빛 미소 담고
그대랑 수줍게 앉아 저녁노을 품는다

이별(1)

붉어진 그리움이 지평선 일렁이면
스며든 추억 자락 숨죽여 눈물짓고
노을도 그대 잊으려 강기슭에 눕는다

이별(2)

숨차는 지난날을 물결에 띄워 보니
달빛이 차오르다 수묵화 펼쳐 놓고
추억은 윤슬 타고서 일렁일렁 떠난다

이별(3)

등 돌린 지난날이 시리게 곧추서서
빛바랜 고백들을 허공에 되새기면
맹세도 빗장 풀더니 그리움을 묻는다

이별(4)

여심이 숨긴 미소 언 땅 위 딛고 서면
가슴만 조여 대는 찬바람 그 아릿함
낯익은 저 그림자에 시린 추억 띄운다

이별(5)

어느 날 몰래몰래 쌓아온 짝사랑아
가슴속 봉긋봉긋 시샘만 가득하니
매섭게 싸맨 눈길로 탈탈 털어 보낸다

나팔꽃

노을이 내린 자리 바람이 속살대면
망초대 친친 감아 보랏빛 입술 열고
가녀린 심장 소리로 그리움을 부른다

새참

배고픔 움켜쥐고 논두렁 기어올라
이고 온 보리밥에 피곤을 버무리고
시원한 막걸리 잔에 목마름을 적신다

제6부

산사 가는 길

밤 풍경

먹구름 비켜서니 설렘이 쏟아지고
하늘은 그제서야 감성밭 펼쳐 주고
추억은 시꽃 피우다 또 그리움 엮는다

와인

오늘도 찰랑찰랑 그리움 채워 가다
수줍음 품고 앉아 달빛을 혼절시켜
해붉게 추억 밝히며 가슴 밭에 눕는다

운무

하얗게 고이 담아 추억을 다독이던
능선에 깔린 침묵 감성꽃 휘감으면
그리움 풀숲에 앉아 시심의 밭 일군다

어머니(1)

보고픔 밟는 소리 그림자 앞세우고
초닷새 휘어진 꿈 가지 끝 걸어 두면
등 굽은 그리움 하나 초승달로 떠간다

청학동

선비의 곧은 마음 붓끝에 매달리고
삼베옷 도포 자락 여백을 채우고서
비로소 깨달음 위에 고고하게 앉았네

사랑

설렘이 흘린 눈물 한 방울 설움 되면
마음에 묻은 추억 그리움 토해내고
가슴속 다 비워 내고 달빛으로 채운다

소나기 오던 날

희뿌연 추억 자락 첫사랑 깨워대면
그리움 쏟아붓는 밭둑길 홀로 누워
애틋이 눈물 흘리며 수숫단을 적신다

추수

들녘은 만삭으로 허리를 굽실대고
도리깨 휘휘 돌려 그리움 쏟아내면
가을은 향기 내뿜어 가마솥을 채운다

문자

시간을 툭툭 치니 가슴이 째려보고
추억이 숨죽이다 화들짝 깨어나서
까맣게 줄줄이 꿰어 습관처럼 답한다

가을밤

갈바람 향기 말아 가슴에 밀려오면
달빛은 창가에서 하얗게 노래하고
외로워 흐르던 추억 여명으로 말린다

테라스

만남의 촉수들이 낭만의 문을 연다
풋풋한 설레임은 가녀린 떨림 되고
차향은 그리움으로 첫사랑을 들춘다

달맞이꽃

구름을 등진 달이 외로이 숨죽이면
꼭 다문 잎새마다 애틋함 품고 앉아
보고픔 돌돌 말아서 그리움꽃 피운다

꽃 몸살

겨우내 하얀 슬픔 마지막 꽃샘추위
두터운 시름 벗고 꽃망울 돌돌 말아
벙그는 그리움 담아 향기 실로 꿰맨다

한강

사색의 그림자가 강섶에 길게 누워
노을로 사선 그어 봄바람 잡아 놓고
사르르 꽃물 뿌려서 그리움을 띄운다

해변에서

만선의 몸부림이 포말에 부서지고
갈매기 끼룩끼룩 낭만을 노래하면
파도에 감성 풀어서 시심자락 낚는다

버찌

초록빛 숨죽이는 낭만의 붉은 입술
봉긋이 매달려서 잎새에 일렁일렁
노을에 새콤달콤히 그리움이 터진다

산사 가는 길(1)

새벽녘 선잠 깨어 걷게 된 오솔길에
가을비 젖어들어 일주문 반겨 주고
추억의 빗물만 툭툭 그리움밭 적신다.

산사 가는 길(2)

푸르른 넝쿨들이 간절함 감아 올려
바람에 턱 괴고서 침묵을 끌어안고
풍경은 추억의 계절 탐닉하며 깨운다

때를 안다

밤새워 절정으로 치달아 꽃이 핀다
바람이 사선 그어 유월을 가두지만
향기로 그리움 품고 여울목을 건넌다

윤슬

수평선 사선 그어 그리움 보듬고서
감성의 울림들이 물결에 일렁이면
파도가 달빛 휘감아 먼 바다를 띄운다

제7부

어머니의

비녀

여인

강가에 하얀 설렘 저녁놀 둘러매니
물풀은 일렁일렁 윤슬을 밀어내고
두 뺨은 붉게 물들어 그리운 님 그린다

남한산성에서

시심의 치맛자락 오솔길 들어서서
흙먼지 툴툴 털며 성벽을 오르더니
아련히 추억의 햇살 탐닉하며 눕힌다

할아버지

들녘에 고향 내음 막걸리 한 사발로
하얗게 분칠하다 헛기침 곧추세워
사립문 들어서더니 너털웃음 쏟는다

꽃 꺾기

술잔에 목 부러진 모란꽃 꽂아 놓고
서러움 한 잔 들고 벙긋이 붉어지면
시한부 남은 여백이 짧다한들 못 필까

경포대에서

진종일 푸념하다 연둣빛 곤추서면
은은한 갯내음도 코끝에 매달리고
사색은 뱃머리 앉아 시심 자락 읊는다

첫눈처럼

하얗게 피어나는 첫사랑 설렘은
고백도 못한 가슴 소롯이 껴안고서
이 계절 애틋한 노래 길목마다 뿌린다

드라이플라워

향긋한 꽃잎들이 아릿함 보듬고서
숨죽인 추억으로 간절함 돌돌 말아
지난날 그리워하며 마른 사랑 품는다

꽃 눈물

시린 밤 붉게 태워 뜨겁게 피어나고
덧없는 추억 자락 눈물로 가슴앓이
오늘도 서러운 주름 새벽길에 나선다

만추

가을은 사랑 빚어 사색에 잠겨 있고
시인의 붓끝에는 설레임 매달리며
여백은 그리움 찾아 붉디붉게 헤맨다.

서리꽃

하룻밤 풋사랑도 가슴에 새겨 넣고
살 에는 겨울밤에 그리움 휘감은 채
여명의 추억 꽃송이 하이얗게 남긴다

야화

별들도 사라진 밤 빛나던 눈동자여
치솟은 연민조차 낯설음 휘감은 채
찻잔에 그리움 담아 붉은 설렘 밝힌다

수선화

바람색 말아 올려 추억을 물들이고
노랗게 내민 설렘 수줍게 매달고서
호숫가 그리움 깨워 하늘하늘 춤춘다

항공 여행

활주로 진눈깨비 아리게 질척여도
설렘을 파닥파닥 날개에 매달고서
봄향은 한껏 부풀어 그대 향해 달린다

상사화(1)

붉은 맘 말아올려 아린 빛 달랜다오
긴 시간 오매불망 그리움 사무쳐서
내 사랑 만나지 못해 불난 가슴 하르르

상사화(2)

꽃잎과 이파리는 시련의 인연인가
노을빛 호숫가에 붉은 정 띄워 놓고
꿈에도 그리는 님은 언제쯤에 만날까

향일암

바위틈 비집고서 천년을 꽃피우다
수평선 곧추세워 기도로 일렁이면
전각에 귀 쫑긋 세워 법화경을 듣는다

바람

초야에 묻은 추억 말없이 쓸어대다
외투깃 슬쩍 열어 그리움 꺼내들어
구름에 옮겨 신고서 살랑살랑 흔든다

보름달

파도에 일렁이던 어둠의 가슴앓이
하얗게 부서질 때 가슴에 쌓인 향수
눈빛에 그렁거리며 그리움만 남긴다

어머니의 비녀

희미한 지문들이 머릿결 쓰다듬어
추억을 틀어쥐면 검게 탄 얼굴에는
하얗게 미소가 번져 패인 주름 그립다

꿈속

추억 속 이야기가 낯설게 찾아드는
산책길 나목에서 흰 수염 돋아나니
살며시 어루만졌다, 나를 아오 누구요

□ **서평**

첫 시조집 발간을 축하하며

박덕은(한실문예창작 지도교수)

경상북도 안동에서 태어난 이수진 시인은 2016년에 『문학공간』 시 부문 신인문학상에 당선되어 문단에 데뷔했으며, 2018년에는 『문학공간』 시조 부문 신인문학상에 당선되기도 했다.

이수진 시인과 필자는 2015년에 아프리카TV "낭만대통령의 문학토크"에서 만나 인연을 맺은 뒤, 한실문예창작 문학반에서 시 창작 훈련을 함께 한 바 있다. 소녀 시절에 간직한 문학에 대한 꿈과 부모님의 애틋한 소망이 함께 어우러져, 이수진 시인의 시심이 한층 더 활기차게 타오르지 않았나 여겨진다.

이수진 시인은 2016년에 제1시집 『그리움이라서』를 출간했고, 2017년에는 제2시집 『사찰이 시를 읊다』 출간했다.

제1시집 『그리움이라서』 속에 펼쳐지고 있는 시의 이미지, 시의 리듬, 시상의 흐름, 시적 형상화 등은 그다지 어렵지 않은 일상의 시어들을 통해, 자연스레 이끌어 나가는 시어의 배치, 되도록 선명한 이미지 구현을 위해 여러 지각적 이미지들의 입체화, 낯설게 하기를 통해 새로운 해석, 구상과 추상의 적절한 배합 등과 어우러져 다채로운 사색의 길을 체험할 수 있도록 해놓고 있었다. 이를 통해 시의 특질을 만나 대화 나눌 수 있도록 배려하고 있었고, 독자들이 시를 만나 친숙해지고, 시 속으로 빨려들어 와 함께 즐길 수 있도록 길을 터 주고 안내하는 역할을 잘 감당하고 있었다.

이수진 시인의 제2시집 『사찰이 시를 읊다』에 수록된 시들은 모두 다 사찰을 관찰하고, 그 분위기와 정경과 의미를 시적 형상화 해놓고 있다. 그 과정에서 무엇보다도 돋보이는 것은 의인화와 이미지 구현과 추상과 구상의 디코럼이다. 사찰로 가는 길 도중에 만나는 모든 사물들이 거의 다 의인화되어 있다. 심지어, 풀벌레, 탑, 산맥, 물안개, 골짜기, 오솔길, 다리, 장승, 산길, 대웅전, 바람, 돌담, 물소리, 도량, 번뇌, 법향, 벚꽃향, 산죽, 탑비, 극락전, 노주석, 싸리나무, 바위산, 담쟁이넝쿨, 기암괴석, 섬진강, 돌계단, 영지, 석탑, 비석, 연민, 간절함, 새털구름, 발걸음, 갈바람, 둥근 돌, 연등, 석벽 불상, 동자승, 기도, 법문, 절마당, 풍경 소리, 독경 소리, 목탁 소리 등까지 모조리 의인화되어 인격체로서 당당히 자리하고 있다. 또한 시각 이미지와 청각 이미지와 후각 이미지와 촉각 이미지 등을 절

묘하게 배합하여 선명하고도 상큼한 이미서리를 구현해 놓고 있다. 특히 추상과 구상의 오밀조밀한 낯설게 하기는 시 전체의 깊이와 맛을 돋보이게 해주고 있다.

이렇듯 2권의 시집 속에서 자신의 시 세계를 우아하게 펼쳐나가던 이수진 시인이 이번에는 시조집 발간에 새 도전장을 냈다. 그동안 여기저기 문학상에 출품했던 시조들, 또 수상한 시조들을 모아 한 자리에 배치해 놓고, 독자의 눈길과 관심과 평가를 기다리고 있다.

한동안 시의 세계를 마음껏 탐닉하던 이수진 시인이, 이번에는 시조의 세계로 여행을 떠난 것이다. 시조라는 여행지에서 시인은 무엇을 보고 무엇을 깨닫고 무엇을 구현하려고 한 걸까.

자, 이 시간 이수진 시인의 시조 세계로 들어가 감상해 보도록 하자.

추억향 모락모락 피어난 창가에서
봄볕들 내려앉아 보고픔 일렁이면
애틋함 소롯이 일어 바람결에 몸 싣네.
– 「기다림」 전문

이 시조에서의 시적 화자는 창가에 앉아 봄볕을 쬐고 있다. 추억향이 모락모락 피어오르고 보고픔이 일렁인다. 그때 애틋한 감성이 소롯이 일어나더니 때마침 불어오는 바람결에 올라탄다. 한가롭고 여유로운 봄 정경이 그려지고 있다. 정형 율격에 맞추어 아주 자연스러운 시상의 흐름 위에 이미지를 그려놓고, 거기에 사랑하는 이에 대한 고운 감성 한 자락 살짝 얹어 놓고 있다.

바람결 불어오네 봄향기 휘감아서
오솔길 풀숲에는 제비꽃 아롱다롱
정겨운 수다삼매경 쉬어 가는 빈 의자.
－ 「산책」 전문

이 시조에서의 시적 화자는 봄향기 휘감아 불어오는 바람결을 볼에 비비고 있다. 오솔길 풀숲에는 제비꽃들이 아롱다롱 피어 있다. 산책하던 시적 화자는 수다 삼매경에 빠진다. 그러다 잠시 쉬어 가는 빈 의자가 이미지 속으로 들어온다. 아주 평이한 일상 정경을 아주 향긋한 감성으로 감싸 안아 시적 형상화를 해놓고 있다. 현대인이 항상 부족한 섬세한 감성, 낭만적 느낌, 안고픈 여백 등을 이 시조를 통해 보완해 놓고 있다.

꽃잎들 내려앉네 산사의 연분홍빛
사르르 휘날리면 보고픔 일렁일렁
그리움 찾아 떠나네 외로움의 날갯짓
－ 「아직도」 전문

이 시조에서의 시적 화자는 산사의 한 정경을 바라보고 있다. 산사에는 연분홍빛 꽃들이 피어 있다. 자세히 들여다보니, 꽃잎들이 지고 있다. 사르르 바람에 휘날리는 꽃잎들, 그 낙화를 바라보고 있노라니, 보고픔이 밀려와 일렁거린다. 그 순간 외로움의 날갯짓이 시작되더니, 이내 그리움을 찾아 떠난다. 여기서도 시적 화자의 내면에서 꿈틀거리는 사랑의 감성을 보드랍게 만져 볼 수 있다. 점점 딱딱해지고 굳어져 가는 현대인의 의식과 감성에 안겨 주고픈 보드라움을 이 시가 마련하여 은은히 제공해 주고 있다.

사랑꽃 살짝 물고 바람결 타고 오네
하느작 걸어와서 뜨거운 열정 풀고
달달한 연서 매달아 흐느끼네 진종일
　「봄비」 전문

이 시조에서의 시적 화자는 꽃 중의 꽃인 사랑꽃을 살짝 입에 물고 바람결 타고 오고 있는 걸 발견한다. 그 사랑꽃은 하느작하느작 걸어오더니, 뜨거운 열정 풀어놓는다. 그러더니, 달달한 연서 매달아 놓고 흐느끼기 시작한다. 그것도 진종일, 그 모습이 생생하게 마음속에 그려진다. 이미지만으로도 시조의 세계가 읽히고, 또 그 주제가 생동감 있게 전달된다. 시조의 세계에서도 왜 이미지가 필요한지를 선명히 말해 주는 듯하다.

돌기둥 상흔 안고 떠난 님 기다리며
해찬솔 잔가지에 연둣빛 꿈 얹으면
연등도 간절함 담아 매달리네 애틋이
 –「낙산사」전문

 이 시조에서의 시적 화자는 낙산사를 의인화시켜 그려내
고 있다. 낙산사의 돌기둥은 상흔 안고 떠난 임을 오늘도
기다리고 있다. 소나무 잔가지에 연둣빛 새싹이 돋아나올
때쯤, 그 간절함 담아 연등을 애틋이 매달아 놓는다. 낙산
사가 마치 스님이나 되는 듯, 사랑하는 연인이나 되는 듯
의인화되어, 떠난 임을 기다리고 있다. 시적 형상화가 아주
자연스럽고 편안해 보인다. 시조 속에 자리한 이러한 감성
의 공간과 여백이 있어, 독자는 시조를 찾는 것이리라.

 산자락 피어 있네 해당화 꽃봉오리
 붉은 향 흰 물거품 휘감아 내려앉아
 절벽 위 애틋함 품고 합장하는 마음밭.
 –「홍련암」 전문

 이 시조에서의 시적 화자는 홍련암을 품고 앉아 주위를
둘러보고 있다. 홍련암 주위에는 산자락이 펼쳐져 있고, 거
기에는 해당화가 꽃봉오리를 머금고 있다. 붉은 꽃에서는

붉은 향기가 흘러나와 흰 물거품을 휘감고서 내려앉는다. 이때 절벽 위에서는 홍련암이 애틋함을 품고서 합장한다. 시적 화자도 홍련암이 되어 함께 마음 모은다. 자연과 홍련암과 시적 화자가 하나 되어, 고요한 감성을 공유하고 있다. 이렇듯 자연과 공감하는 세계가 시조 속에는 펼쳐져 있다. 이 공감의 영역이 이 땅에 시조가 여전히 살아남아, 사람과 함께하는 요인이 된다. 자기 아집에서 벗어나, 자연의 공감대 속으로 들어가는 훈련이 필요할 때, 시조는 기꺼이 그 자리를 제공해 준다.

종유석 대롱대롱 그리움 매달고서
애절함 감싸 안고 폭포로 떨어지며
한 맺힌 그날의 흔적 씻으면서 안기네.
　－ 「고씨동굴」 전문

　이 시조에서의 시적 화자는 고씨동굴과 자기 자신을 오버랩 시켜 놓고 있다. 고씨동굴 안의 종유석은 그리움을 대롱대롱 매달고 있다가 애절함 감싸 안고 떨어지는 폭포로 내보내고 있다. 그렇게라도 하여, 지난날 한 맺힌 흔적을 씻고자 하고 있다. 그 모습이 시적 화자의 품에 안겨 올 때, 시적 화자는 눈시울을 적신다. 마치 자신의 모습을 보는 것 같아, 울컥하는 심경에 잠시 젖는다. 시적 화자의 시선은 이처럼 그 어떤 사물도 그냥 지나치지 않고, 포착하여 감정이입하고, 또 이를 통해 한 단계 더 나은 감성의 세계로 나아간다.

은달빛 몇 올 뽑아 풀숲에 걸어 놓고
갈바람 나부끼니 강둑에 너울너울
추억 속 불빛 밝히며 낭만 자락 날리네.
－「반딧불이」전문

이 시조에서의 시적 화자는 산책하다 은달빛 몇 올 뽑아 풀숲에 걸어놓고 반짝이고 있는 반딧불이를 만난다. 가만히 살펴보니, 반딧불이는 갈바람 나부낄 때 날아올라 강둑 위를 너울너울 날아간다. 그러면서 추억 속 불빛을 반딧불로 밝히며 낭만 자락 날린다. 그 정경이 감동을 안겨다 준다. 마치 어렸을 적 시골 풍경을 연상케 하면서, 자연친화적인 삶의 태도가 마음을 편안하고 행복하게 해준다. 또한 이러한 풍경, 이러한 감성을 지니고 살아갈 때, 또 이러한 섬세한 낭만 자락을 지니고 지낼 때, 이 사회가 얼마나 아름답고 우아하고, 또 동화적일까 하는 생각을 하게 한다. 인간의 사랑은 이러한 때묻지 않는 순수 위에서 더욱 빛을 발할 테니까.

뭐 그리 바쁘셨나 작별의 인사도 없이

긴 여행 고달프게 외로이 떠나간 길
애틋함 남겨둔 발길 무거워서 어쩌나.
– 「아버지」 전문

이 시조에서의 시적 화자는 돌아가신 아버지를 회상하고
있다. 뭐가 그리 바빴을까, 왜 그리 빨리 가셨나, 작별 인
사도 없이 가셔야 했나. 긴 여행 고달프게 가야 했을, 그리
고 외로이 쓸쓸하게 떠나야 했을 그 길, 어찌 서둘러 가셔
야 했나. 애틋함을 남겨 둔 그 발길 무거워서 어떡하나, 마
치 그 발길이 내 발길처럼 무겁기만 하다. 아버지를 그리
워하면서, 아버지의 심정을 대신 체험하고 있는 시적 화자
의 눈에는 눈물이 그렁그렁 맺혀 있는 듯하다. 어쩌면 시
조는 인간의 마음을 치유하는 공간이 아닐까 하는 생각이
든다. 시조를 쓰면서, 또 시조를 읽으면서, 우리는 어느덧
마음의 치유를 받는 건 아닐까.

갈빛은 핀잔하듯 그리움 피워대고
단풍은 흩날리듯 외로움 홀로 안고
노을은 물들이는 듯 삶의 여정 감싸네.
– 「늦가을에」 전문

이 시조에서의 시적 화자는 어느 가을날 노을을 바라보며
서 있다. 오늘도 갈빛은 그리움을 피워내고 있다. 늘 그렇

듯, 그리움을 떨궈내지 못하고, 마음고생을 하고 있는 시적 화자에게 핀잔하고 나무라고 있다. 이제는 그만 잊으라 권유한다. 단풍은 흩날리듯 외로움을 홀로 안고 날아간다. 단풍처럼 살아 보라 말하는 것 같다. 그때 노을이 물들이는 듯 삶의 여정 감싸 주며 달래 준다. 그리움을 계속 안고 가려는 시적 화자와 이제는 그만 내려놓으라고 권하는 자연과의 고요 속 대화가 눈물겹다. 이러한 감성의 파노라마가 시조를 더욱 소중한 애증의 대상으로 품게 하는 것 같다.

> 호숫가 이른 아침 물안개 피어올라
> 추억향 끌어안고 쓸쓸히 홀로 서면
> 그리움 풀어놓고서 손짓하는 월영교.
> ─ 「월영교」 전문

이 시조에서의 시적 화자는 월령교를 바라보며 추억에 잠겨 있다. 때마침 아침 물안개가 피어올라 다리를 감싸 안는다. 그러다 이번에는 추억의 향기를 끌어안고 속삭인다. 그 모습이 쓸쓸하기 그지없다. 홀로임을 깨닫는 순간, 월령교는 그리움을 희뿌옇게 풀어놓더니 손짓한다. 외로울 때 자기에게로 와서 그 쓸쓸한 내면을 달래 보라는 듯. 어느새 시적 화자의 눈시울이 촉촉이 젖어든다. 시인의 눈길은 그 어디를 향해도, 이처럼 시심의 붓은 정서의 선명한 이미지 그림을 그려놓는다.

산자락 고운 달빛 그리움 눕혀 놓고
꽃잎은 한 올 한 올 순백향 뽑아 올려
봉긋이 내민 입술에 붉디붉게 물드네

외로움 홀로 안고 칼바람 견뎌내며
홍조로 물든 두 볼 사랑꽃 피어 놓고
여명의 눈빛 품고서 님의 품에 안기네.
 － 「설중매」 전문

 이 시조에서의 시적 화자는 산자락에 드리운 달빛을 바라
보고 있다. 달빛은 그리움을 눕혀 놓고, 꽃잎은 한 올 한
올 순백향을 뽑아 올려 놓고, 봉긋이 내민 입술은 붉디붉
게 물든다. 그런데도 너무나 외롭다. 그 외로움 홀로 안고
서 있다. 때때로 칼바람에 시달리면서도 홍조로 물든 두
볼에 사랑꽃 피어 놓는다. 그리고, 여명의 눈빛 품고서 님
의 품에 안긴다. 설중매에 시적 화자 자신의 내면을 이입
시켜 놓고 있다. 시적 화자의 내면과 설중매의 정경이 하
나되어, 시적 형상화 속에서 조화로움을 이루고 있다. 관찰
대상이 어느새 관찰 주체가 되어, 감동의 전율을 펼치고
있다.

 아슴한 기억 저편 바람결 일어나면

빈 가슴 채우려고 그리움 줍는 그대
봉긋이 입술 내밀며 달콤한 향 피운다.
- 「매화」 전문

 이 시조에서의 시적 화자는 매화를 바라보며, 매화와 자기 자신을 동일시한다. 아슴한 기억 저편에서 바람결이 일어나 불어오면, 빈 가슴 채우려고 그리움을 줍는 매화, 그와 동시에 시적 화자도 그리움 속으로 빨려들어 간다. 매화는 봉긋이 입술 내밀면서, 달콤한 향을 피운다. 그 순간, 시적 화자도 사랑하는 사람과의 추억 속에 들어가, 은은하면서도 향긋한 감성을 만나 잠시 울컥 치밀어 올라오는 느낌에 젖는다. 시조를 통해 독자의 감성에 크고 작은 파문을 일으켜, 한층 순화된 감성으로 이끌고 있다.

 망울진 가지마다 겹겹이 쌓인 추억
 자줏빛 설렘으로 살그레 입맞추며
 그리움 홀로 앉아서 붉은 열정 태운다.
                 - [자목련] 전문

 이 시조에서의 시적 화자는 자목련 속으로 들어가 봄을 맞이하고 있다. 망울진 가지마다 겹겹 추억이 쌓여 있다. 자줏빛 설렘이 일렁이다 살그레 입맞출 때 시적 화자도 과거 속으로 빨려들어 간다. 그곳에는 그리움 홀로 앉아 있

다. 지금은 곁에 없는 사랑하는 사람, 문득 보고 싶다. 그
와 동시에 솟구쳐 오르는 열정, 붉다. 여태 잠든 줄 알았는
데, 자목련을 보고 있는 동안 저 가슴 깊숙이에서부터 꾸
역꾸역 올라와 보란 듯이 펼쳐지는 저 열정, 어찌하란 말
인가. 여생 동안 내내 틈만 나면 치솟아 오를 저 열정, 어
찌해야 한단 말인가.

　삭풍에 시달리다 봄향기 잉태하여
　수줍게 펼친 순정 가슴에 젖어 들면
　꽃잎의 설렘 흩날려 그리움 속 깨운다.
　– 「벚꽃」 전문

　이 시조에서의 시적 화자는 봄에 흐드러지게 피어 있는
벚꽃길을 걷고 있다. 삭풍에 시달려서인지 봄향기가 더욱
짙게 풍겨 온다. 시적 화자는 수줍게 펼친 벚꽃의 순정을
여과없이 가슴에 젖어 들게 한다. 왜냐하면, 시적 화자 자
신도 그 순정을 온전히 지키며 살아왔으니까. 그래서 더욱
그 순정이 값지고 소중하고 빛나 보인다. 그 순정은 꽃잎
의 설렘으로 흩날리기 시작한다. 아직도 시적 화자의 가슴
속에는 그 설렘이 살아 꿈틀대고 있음을 감지한다. 그 꿈
틀거림이 이윽고 그리움을 건들어 깨우고 만다. 눈꽃처럼
휘날리는 벚꽃의 낙화가 시작되면, 또 시적 화자는 눈시울
을 적시며 하염없이 벚꽃길을 걸을 것이다. 시간 가는 줄

도 모른 채. 자연을 관찰하고, 자연 속으로 들어가 하나 되고, 사물과 타인의 세계로 들어가 공감하는 시조의 세계가 아름답게 여울져 흐르고 있다.

희미한 지문들이 머리결 쓰다듬어
추억을 틀어쥐면 검게 탄 얼굴에는
하얗게 미소가 번져 패인 주름 그림자.
– 「어머니 비녀」 전문

이 시조에서의 시적 화자는 어머니에 대한 회상에 잠겨 있다. 어머니의 손길이 머릿결 쓰다듬어 주던 추억이 떠올라 가슴이 울컥하다. 그와 동시에 세파에 시달렸던 어머니의 얼굴에 하얗게 미소가 번진다. 그때 패인 주름, 그 그림자가 어머니의 비녀로 자리한다. 평소 어머니에 대해 유달리 깊은 애정을 지니고 있던 시인이 시적 화자를 통해, 그리고 이미지 구현을 통해 개울 물소리 같은 사랑 고백을 바치고 있어, 더욱 감동적이다.

지금까지 살펴본 바대로, 이수진 시인의 시조들은 모두 정형 율격을 엄격히 유지하면서, 이미지 구현과 낯설게 하기를 통해 시적 형상화를 꾸려 가고 있다. 특히 사물과 자연 속으로 들어가, 공감대를 형성하면서, 그 섬세한 감성의 세계를 표현하고 있다. 점점 각박해져 가는 현대인들의 가슴속을 촉촉이 적셔 주는 감성의 파노라마가 매 시조마다 읽을거리와 감동과 재미를 듬뿍 안겨 주고 있다. 그러면서도 동시에 시조의 아름다움과 사색의 여백을 만나게 해주고, 그 속으로 들어와 함께 공감하고 즐기고, 같이 휴식을 취하게 해주고 있다. 더불어 누구나 시조를 좋아하고 사랑하도록 징검다리를 놓아 주고 있다. 시상의 흐름이 자연스러워 거부감 없이 시조를 읽고 즐길 수 있도록 해놓고 있다. 그리하여, '인생 의미의 새로운 발견을 언어의 음률적 조형을 통하여 개성적으로 형상화'한 시조의 세계를 가슴에 꼬옥 안겨 주고 있다. 뿐만 아니라 시조는 결국 인생의 비평이요 상상의 미학임을 깨닫게 해주고 있다. 나아가 격조 높은 사고, 심원한 조화로움, 감정의 순수, 깨달음의 기쁨 등을 만끽할 수 있도록 시조의 길을 개척하고 안내하고 있다.

전해 듣기로는, 이 시조집 발간 이후 얼마 되지 않아 곧 제2시조집을 발간할 예정이라 한다. 벌써부터 기대가 된다. 여생 동안 이렇게 시집과 시조집을 번갈아 펴내면서 살아갈 수 있다면, 얼마나 행복할까. 우리 사회의 모든 구성원들이 모두 시인이 되어, 시집과 시조집을 한 권씩 펴내면서 살아 주기를 기원해 본다. 또한, 이수진 시인의 무궁한 발전과 행복 가득한 건강을 빈다.

– 장마 속에서도 무럭무럭 자라는 텃밭의 오이를 보며

* 박덕은 – 전북대학교 문학박사, 전 전남대학교 교수, 문학평론가, 시인, 소설가, 아동문학가, 화가, 현 한실문예창작 지도교수

■ 글벗시선 109 이수진 시집

어머니의 비녀

초판인쇄 2020년 8월 20일
초판발행 2020년 8월 20일
지 은 이 이 수 진
펴 낸 이 한 주 희
펴 낸 곳 도서출판 글벗
출판등록 2007. 10. 29(제406-2007-100호)
주 소 경기도 파주시 와석순환로 16,(야당동)
　　　　　롯데캐슬파크타운 905동 1104호
홈페이지 http://guelbut.co.kr
E-mail juhee6305@hanmail.net
전화번호 031-957-1461
팩 스 031-957-7319
가 격 12,000원
I S B N 978-89-6533-147-6 04810